Leabhar Beag na Gàidhlig

(the wee Book of Gaelic)

A compilation of poetry and illustrations from pupils of Hazlehead Academy and Gilcomstoun Primary School, compiled and edited by Dr Anne Lorne Gillies

Published in the United Kingdom in 2005 by

Word Firsts is a joint venture between The Arts Education Team,
Aberdeen City Council and Word – University of Aberdeen Writers Festival.
Word Firsts c/o Arts Education Team, Learning and Leisure Service,
Aberdeen City Council, Summerhill Centre,
Stronsay Drive, Aberdeen, AB15 6JA

copyright © Word Firsts 2005

ISBN 0-9550108-0-2

A catalogue for this book is available from the British Library.

Text editor: Dr Anne Lorne Gillies
Picture editor: Simon Fraser
Design: Simon Fraser
Printed by Nevisprint, Fort William

Leabhar Beag na Gàidhlig

(the wee Book of Gaelic)

this book is dedicated to the memory of
Bob Ballantyne

Introduction

Anne Lorne Gillies

Bha e na urram agus na thoil-inntinn dhomh, o chionn bliadhna no dhà, a bhith an sàs anns a' phròiseact annasach ris an canar *Leabhar Mòr na Gàidhlig*. Bha buaidh fhada 's fharsaing aig an Leabhar Mhòr, a dhearbh aon uair eile cho cumhachdach 's a tha na h-ealain ann a bhith a' togail misneachd agus a' leagail bhallachan.

Agus 's e urram agus toil-inntinn a cheart cho mòr a th' air a bhith ann a bhith a' toirt taic don phròiseact seo: leabhar eile nach eil idir cho beag, a tha a' dearbhadh cho mòr 's a tha misneachd is mac-meanmna is sgilean nan Gàidheil òga ann an Obar Dheathain. Rinn iad bàrdachd làn dhathan agus dealbhan làn bheachdan.

Rinn iad leabhar beag èibhinn, làn spòrs is mì-mhodh. Leabhar beag inntinneach làn smaointean agus dhòchasan. Leabhar beag cudromach a tha a' toirt dùbhlain chumhachdaich dhan a h-uile inbheach gòrach a bhios a' togail bhallachan gràine agus eagail agus aineolais air feadh an t-saoghail.

Tha mi fada nan comain. Tha sinn uile fada nan comain

A year or two ago I was honoured and delighted to have been involved in the extraordinary project known as *The Great Book of Gaelic*. The Great Book had huge and far-reaching effects, proving once again how powerful the Arts are in building up self-assurance and knocking down walls.

And it has been just as much of an honour and delight to give a helping hand to this project: a not-so-little book which proves how much assurance and imagination and skill the young Gaels of Aberdeen have. They have produced poetry full of colour; pictures full of ideas.

They have produced a humorous little book, full of fun and nonsense. A fascinating little book, full of thoughts and hopes. An important little book that sends out a powerful challenge to every foolish adult who builds walls of hatred and fear and ignorance across the world.

I am so grateful to them. We are all grateful to them.

Part One

Hazlehead Academy

Frank

Frank

Dean Riley
(dealbh le Dean)

A-mach à Obar Dheathain ann an Westhill
suas an cnoc
sìos an cnoc
tha Frank agus an Omega air a bhith trang.

Tha Frank còir,
daonnan a' coimhead às dèidh mi-fhìn 's mo Mham
nuair tha sinn san leabaidh bochd –
tha sin cha mhòr gach latha!

Tha Frank air a bhith ag obair
air aghaidh fhèin
ann an Oldmeldrum aig companaidh mhòr.

Fhad 's a bhios e a' tighinn dhachaigh
bidh mise dèanamh m' obair dhachaigh
'S bidh Mham agam trang a' cumail ar dachaigh snog.

Is nuair a bhios e air tighinn dhachaigh
tha an Nan agam a' tighinn mun cuairt
agus bidh Frank gar toirt a-mach.
Biadh! Blasta! Brilliant!

Nuair a bhios a' ghrian dol sìos
bidh mise a' coimhead TBh,
agus bidh mo Mham agus Frank ag òl fìon
fad na h-oidhche às dèidh latha math!

On the outskirts of Aberdeen in Westhill
up the hill
down the hill
Frank and the Omega have been busy.

Frank is kind,
always looking after me my Mum
when we're ill in beds –
which seems to be just about every day!

Frank's been working
at his own business
a big company in Oldmeldrum.

While he's on his way home
I'm doing my homework
and my Mum's busy keeping our home nice.

And when he arrives home
my gran comes round
and Frank treats us all.
Food! Yum yum! Brilliant!

And when the sun sets
I watch television
and my Mum and Frank drink wine
all evening: a perfect end to a perfect day!

An Rathad Dhachaigh
The Road Home

Anna Visocchi
(dealbh le Anna & Eilidh Daniels)

Tha an rathad dhachaigh on sgoil air fàs cugallach.
Tha dorchadas a' gheamhraidh gam chuartachadh.
Gach oidhche nam leabaidh ag èisteachd
ri brag
às dèidh brag
às dèidh brag;
daoine a' gal,
daoine a' sgiamhail,
urchairean a' bualadh air mo chridhe.

Tha an coibhneas agus an gràdh air a dhol à bith:
tha na peilearan air làmh an uachdair fhaighinn oirnn uile.

M' athair - cha d' fhuair e teisteanas airson a chuid haothair;
mo mhàthair - mean air mhean
tha an gaol air a trèigsinn.
Eadar bochdainn agus losgadh tha i na h-aonar,
leatha fhèin gun ghràdh.

Ach tha i làidir.
Tha mi làidir.

Tha mi làidir an-diugh.
Bidh mi nas làidire a-màireach
air an rathad dhachaigh on chogadh.

The road home from school has become dangerous.
Winter's darkness envelopes me.
Each night in bed I listen
to bang
after bang
after bang;
people crying,
people screaming,
gunfire piercing my heart.

Loving kindness is now extinct:
the bullets have overpowered us all.

My father gets no credit for his efforts;
my mother – bit by bit
love has forsaken her.
Poverty and warfare have left her lonely,
abandoned, without love.

But she is strong.
I am strong.

I am strong today.
I will be stronger tomorrow
on the road home from war.

cogadh

rathad

baile

athair

gaidi

Lot 1148
July 1939

Deireadh an Taighe
Hitting the House

Stuart Binnie
(dealbh le Stuart & Dàniel MacLeòid)

Dubh is dorcha;
loidhne gheal a' dol tron adhar
a' tighinn bho na sgòthan,
peilear de thàirneanach.

Tha an dealan a' tuiteam sìos,
loidhne luath, thana, gheal,
a' gearradh tro dhorchadas na h-oichdhe.

Bhuail i san aer-ghath,
sìos luath tron taigh,
tro na càballan TBh:
an TBh a' spreadhadh,
teine tron taigh;
an teine ag èirigh
chun a' mhullaich.

Dealan, tha e fiadhaich.
Dealan tro m' fhuil.
Dealan na mo chridhe.

Black and dark;
a white flash spreads through the sky
coming from the clouds,
gunshot of thunder.

The electricity falls to the ground
a thin, white, fast line
cutting through the darkness of the night.

It struck the aerial,
down rapidly through the house,
through the television cables:
the televison exploding,
fire raging through the house;
the fire rising
up to the roof.

Electricity, it's ferocious.
Electricity in my blood.
Electricity in my heart.

leabhar beag

Cearcaill
Hoops

Anndra MacLeòid
(dealbh le Anndra)

Cearcaill uaine is geal,
èibhinn is èigheachd,
luchd-taic uamhasach mòr.

Toirt seachad am ball
inntinneach, spòrsail,
club as fheàrr san t-saoghal:
a' buannachadh cha mhòr a h-uile gèam -
sgioba onarach, fialaidh.

Feuchainn ri bhith nas fheàrr a h-uile latha,
h-uile gèam tha iad math:
eanchainn sgoinneil -
ruith mun cuairt gach deireadh-seachdainn,
rèitire a' cumail sùil gheur.

Green and white hoops,
the entertainment and the roar,
crowds of supporters.

They share the ball,
interesting, sporting,
the best team in the world:
winning almost every game –
generous, honourable team.

Striving every day to improve their skills,
they excel in every game:
supremely intelligent –
they sprint around the field every weekend
under the referee's watchful eye.

Ceò
Mist

Laura Grant
(dealbh le Laura)

Comhfhurtachd.
Tha gaol anns an rùm
ged a tha mi anns a' Cheò.

Seallaidhean snog:
tha na dathan brèagha - uaine agus torrach
ged a tha mi anns a' Cheò.

Chan eil diamhaireachd an-seo:
beanntan, gleanntan, bradain, sgadain,
cur-seachadan gu leòr an-seo
ged a tha mi anns a' Cheò.

Teas na grèine gam bhuaireadh,
òrain nan eòin gam chuartachadh,
lachanaich chloinne
ged a tha mi anns a' Cheò.

Tha an saorsa gam thoirt thairis,
fois bho ùpraid a' bhaile gam chumail fallain.
Tha mi ann am pàrras
ged a tha mi anns a' Cheò.

Tha smùid uisge air nochdadh ged a tha mi anns a' Cheò…
Tha Obar Dheathain a' teannadh dlùth orm
agus tha na Sgitheanaich
a' sìor dhol…
às…
an…t-sealladh.

Comfort.
The room is full of love
although I'm in the Mist.

Beautiful sights:
the colours are pretty – green and fertile
although I'm in the mist

There are no secrets here –
mountains, glens, salmon, herring,
and pastimes galore
although I am in the Mist

The sun's heat drains me
Surrounded by birdsong
and the laughter of children
although I am in the Mist

Serenity overcomes me,
peace from the city's uproar restores my health:
I am in Paradise
although I am in the Mist.

A smirr of rain appears although I am in the Mist…
Aberdeen gets ever nearer
and the Skye folk
keep…
fading…
from view…

Buaidh na Beurla
The Influence of English

Ruth Stephen
(dealbh le Ruth)

A' seasamh suas dìreach mar dàm
sinn uile nar sgealp bheag dheth
a' feuchainn ri stad a chur air an uisge.
Boinne…
às dèidh boinne…
às dèidh boinne…
agus mu dheireadh
tha a' Bheurla air ar muin.

Tha an duine ùr air bhioran
ar cliù a thoirt bhuainn.
Tha an t-seann tè fo eagal
agus am fuachd a ghabhail dhith:
tha an tinneas seo gabhalta
's a' dol gar spionnadh às na friamhaichean.

Tha leigheas faisg air làimh a-nis:
is sinne an dàm, is sinne furtachd na caillich.
Togaidh sinn a h-inbhe agus a guth suas gu h-àrd.
Togaidh sinn an t-seann tè bho thinneas an duin'
ùir.

Standing up straight like a dam
each one of us a small part of it
trying to hold back the water.
Drop…
after drop…
after drop…
and finally
English engulfs us.

The new man is desperate
to steal our identity from us.
The old woman is scared,
the cold destroying her.
This disease is contagious
and threatens to uproot us.

A cure is nearby now:
we are the dam, we are the old woman's strength.
We will raise her status and voice on high.
We will protect the old woman from the young
man's disease.

A' Choille
The Forest

Jacqueline NicLeòid
(dealbh le Jacqueline)

Chan fhaca mi riamh
dad cho brèagha is àlainn -
na flùraichean, na craobhan, agus an abhainn:
tha dathan nam flùraichean cho soilleir -
purpaidh, dearg, gorm is uaine.

Na craobhan àrd' is làidir,
cho sean, dìreach nan seasamh an-sin,
geugan a' gluasad anns a' ghaoith,
duilleagan nan geugan a' siosarnaich.

Tha a' choille làn bheathaichean:
rabaidean a' leumadaich tron fheur,
eòin a' cadal shuas sna craobhan,
feòragan a' coimhead airson chnòthan,
fèidh ag òl uisge bhon abhainn.

Chan eil dad cho brèagha,
ri flùraichean, craobhan, agus a' ghrian.
Tha mi an dòchas nach tachair sian
dhan choille as àlainn air an t-saoghal.

I have never seen
anything so beautiful, so lovely –
the flowers, the trees, and the river:
the colours of the flowers are so bright –
purple, red, blue and green.

The trees, tall and mighty,
so ancient, just standing there,
their branches swaying in the breeze,
leaves on the branches whispering.

The forest is full of animals:
rabbits jumping through the grass,
birds asleep high up in the trees,
squirrels searching for nuts,
deer drinking from the river.

There is nothing so beautiful
as flowers, trees, and the sun
I hope no harm ever comes to
the loveliest forest in the world.

cuidich mi
help me

Marianne Shanks
(dealbh le Marianne)

A charaid chòir,
tha sinne nar suidhe an-seo,
a' fuireach gus am bàsaich sinn,
a' smaointinn dè rinn sinn,
airson beatha marseo.

Bhàsaich Dadaidh,
chan eil càil aig Mamaidh,
tha mo phiuthar a' caoineadh;
tha mise a' fuireach

airson biadh ceart,
uisge glan,
taigh ùr,
beatha nas fheàrr.

Tha mo phiuthar cho bochd,
a' sgiamhail fad an latha;
tha mi 'g iarraidh cuideachadh…
chan urrainn dhomh…

Tha mi gun fheum
dìreach nam shuidhe
a' feitheamh air cuideigin a chuidicheas sinn.

Cuidich mi…

Dear friend,
we are sitting here
waiting to die,
wondering what we did
to deserve a life like this.

Dad died,
Mum has nothing,
my sister cries;
I am waiting

for wholesome food,
clean water,
a new house,
a better life.

My sister is so ill:
She screams all day
I long to help…
I cannot…

I am useless,
just sitting here
waiting for someone who will help us.

Help me….

Nuair tha mi nas sine
When I'm older

Greg Miller
(dealbh le Greg)

Nuair tha mi nas sine
tha mi a' dol a dh'fhuireach ann am Miami.
Tha mi a' dol a cheannach Ferrari.

Nach bi sin math!

When I'm older
I'm going to live in Miami.
I'm going to buy a Ferrari.

Won't that be good!

Ann am Miami tha a' ghrian ann a h-uile latha
agus tha e an-còmhnaidh blàth.
Tha tòrr dhaoine ann agus fealla-dhà.

Nach bi sin math!

In Miami the sun shines every day.
and it's always warm.
There are lots of people there and lots of fun.

Won't that be good!

Anns na h-Everglades bidh alligators a' snàmh,
'g ithe do chraicinn, fàgail do chnàmh!
Siosarnaich nan nathair grànnda,
fàileadh grod a h-uile latha.

Nach bi sin math!

In the Everglades alligators swim:
they eat your skin and spit out your bones.
There are horrible hissing snakes
and stinky smells every day.

Won't that be good!

Droch shìde
Bad weather

Katrina Allen
(dealbh le Katrina)

A' coimhead tron uinneig,
tha an t-uisge ann,
a' ghaoth a' sèideadh,

Looking through the window,
it's raining,
the wind's blowing

balaich a' cluich,
clann-nighean a' ruith,
brògan fliuch;

boys playing,
girls running,
wet shoes;

lòin air an rathad,
clann a' leum san uisge,
a' feuchainn ri fàs fliuch.

puddles on the road,
children splashing in the water
trying to get wet.

Mise bochd,
sròn a' sreathartich, ceann goirt:
a-steach dhan leabaidh –
greas ort!

And me unwell –
nose sneezing, head sore:
into bed –
hurry up!

An Geamhradh
Winter

Rebekah Moffat
(dealbh le Rebekah)

Oidhche fuar Geamhraidh
a h-uile càil air reothadh,
clachan-meallain a' bualadh
na h-uinneagan 's na rathaidean.

Tàirneanach is dealanach
a' tighinn a-mach às an athar,
a' bualadh far na h-uinneagan
's na craobhan air an crathadh.

A h-uile càil air chall
am measg an t-sneachda gheal,
is na duilleagan a' tionndadh
bho orainds gu donn.

A cold Winter's night
everything frozen,
hailstones hitting
the windows and the roads.

Thunder and lightning
pouring from the sky,
attacking the windows
and shaking the trees.

Everything lost
among the white snow,
and the leaves changing
from orange to brown.

Aghaidhean-Choimheach
Wearing Masks

Naomi Ballantyne
(dealbh le Naomi)

Tha sinn uile diofaraichte
agus nar n-aonar.
Tha sinn a' smaointinn gu bheil fios againn
air smaoin an fhir eile
ach chan eil idir.

Tha aghaidhean-choimheach oirnn uile:
tha saorsa againn san dorchadas,
ach nuair chuireas sinn oirnn an sgàile seo
chan eil i furasta
ri caitheamh bhuainn.

Tha sinn a' cur eòlas oirnn fhèin
gu latha ar bàis.
Chan eil fhios aig neach eile
air aon smaoin a bhuineas dhuinn.
Chan eil fiù 's fhios againn fhèin.

We are all different
and alone.
We think we know
other people's thoughts
but we know nothing at all.

We all wear masks:
in the darkness we feel free;
but once we start wearing this disguise
it's not easy
to remove.

We go on learning about ourselves
until the day we die.
Nobody else knows
a single one of our thoughts.
We don't even know ourselves.

Mar a' Ghrian
Like the sun

Jade Fitzpatrick
(dealbh le Jade)

Mar a' ghrian
a' cur toileachas
nam bhroinn,

mar na rionnagan
daonnan an-sin
a' coimhead às mo dhèidh,

mo charaid,
snog agus dìleas,
cur m' earbsa annad.

Nuair a tha thu brònach
mar sgàthan
tha mise brònach cuideachd.

Is a-nis tha thu a' dol a dh'àiteigin:
chan eil thu a'dol a dh'fhuireach,
agus bidh an sgàthan agam falamh.

Like the sun
filling me with
happiness,

like the stars
always there
watching over me,

my friend
lovely, loyal
I put my trust in you.

When you are unhappy
just like a mirror
I'm unhappy too.

And now you are going away.
You won't stay here
and my mirror will be empty.

Part Two

Gilcomstoun Primary

Mo charaid
My friend

Theresa Duncanson
(dealbh le Lewis Stephen)

Tha i beag, brèagha,
snog, èibhinn, còir, àlainn,
cuideachail;
falt donn, dorch,
sùilean gorma,
a' cumail mo rùintean-diamhair:
sin Iona, mo charaid!

She's little, lovely,
Nice, funny, kind, beautiful,
helpful;
dark brown hair,
blue eyes,
keeping my secrets:
that's Iona, my friend!

Is toil leam leabhar mòr
le 753 duilleagan ann,
le tachartasan èibhinn
daoine dona agus còir.

Nuair bhios ùine agam a leughadh
bidh mi leughadh fad an latha;
bhithinn a leughadh 24/7
ach tha 'n sgoil a' dol san rathad.

Is toil leam leabhar mòr
lan ghnìomhan is mac-meanmainn
agus rudan nach eil fìor –
agus 753 duilleagan!

I like a big book
with 753 pages in it,
with funny adventures
goodies and baddies.

When I have time to read
I read all day long;
I'd like to read 24/7
but school gets in the way.

I like a big book
full of action and imagination
fiction and fantasy –
and 753 pages!

Leabhraichean beaga,
leabhraichean mòra,
leabhraichean ciallach,
leabhraichean gòrach,
leabhraichean inntinneach,
leabhraichean dòrainneach:
'S e "Artemis Fowl"
an leabhar as fheàrr leam.

Leabhraichean aosta,
leabhraichean ùra,
leabhraichean saora,
leabhraichean daora,
leabhraichean mu dheidhinn chait
agus crodh agus caoraich,
'S e "Bobby the Bad"
an leabhar as lugh orm.

Little books,
big books,
sensible books,
daft books,
interesting books,
boring books:
"Artemis Fowl"
is my favourite of all.

Old books,
new books,
cheap books,
dear books,
books about cats
and sheep and cows:
"Bobby the Bad"
is my most unfavourite of all.

An rabaid agam
My Rabbit

Jacqueline Wann
(dealbh le Calum Robertson)

'S e George an rabaid agam:
tha e uabhasach brèagha.
Thuirt Dadaidh rium gu robh e donn
ach e glas no liath.
Bidh mi toirt George gu taigh mo Ghranaidh:

nach bi sin math, nach bi sin math!
Ach na seasaibh air, a Ghranaidh,
no bidh e marbh,
agus bidh mise caoineadh!

Mo pheata, O mo pheata —
am peata as fheàrr san t-saoghal.
Tha fàileadh air George
mar bhiadh blasta,
's tha dath air mar a' cheò.

'S e George an rabaid agam:
tha e uabhasach sàmhach.
Cha chluinn thu càil ach
plop! plop! plop!
's e ruith mu chuairt an àite

George is my rabbit:
he's extremely beautiful.
Daddy told me he was brown
but he's really silvery grey.
I'll take George to Granny's house:

won't that be good, won't that be good!
But don't stand on him, Granny,
or he'll be dead,
and I'll be crying!

My pet, oh my pet —
the best pet in the world.
George smells
like tasty food,
and is the colour of mist.

George is my rabbit:
he's extremely quiet.
You hear nothing but
plop! plop! plop!
when he runs around the place

36

An rabaid agam
My Rabbit

Calum Robertson
(dealbh le Calum)

An rabaid agam,
rabaid bheag shnog:
a' ruith sa ghàrradh
a' stad, a' tòiseachadh –
toilichte.

My rabbit,
nice wee rabbit:
running round the garden
stopping, starting –
happy.

Ag ithe,
beul a' fosgladh 's a' dùnadh.
Ag òl uisge,
beul a' fàs fliuch.
A' cluich le dèideagan –
gan cagnadh.

Eating,
mouth opening and shutting.
Drinking water,
mouth getting wet.
Playing with toys –
chewing them.

A' cadal ann an hutch
sàmhach, socair.

Sleeping in a hutch
quietly, peacefully.

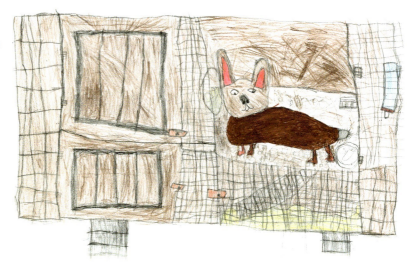

Miss Maclean
Miss Maclean

Frazer Stewart
(dealbh le Lydia Walker)

'S e Miss MacLean an tidsear snog
bha agam airson bliadhna:
bha sinn gu tric a' dèanamh spòrs —
sia balaich 's aon-deug nigheanan.

Dh'ionnsaich i rudan cudromach dhuinn,
mar èisteachd agus coiseachd
mu chuairt an rum is anns an sgoil,
's a bhith modhail bhon an toiseach.

Miss MacLean is the nice teacher
that I had for a year:
we often had fun —
six boys and eleven girls.

She taught us important things,
like listening and walking
round the room and inside the school,
and to be polite from the very beginning

Pògan agus taosdan
Kisses & cuddles

Catriona Ross

Is toil leamsa mo theaghlach
tha iad an-còmhnaidh snog.
Tha mamaidh agus dadaidh agam
is bràthair beag òg.

Tha mo bhràthair Calum
cho beag is laghach is òg:
tha sinn uaireannan a' sabaid
ach ga rèiteachadh le pòg.

Tha m' athair àrd is bàn:
is toil leam e gu mòr.
Tha e an-còmhnaidh toilichte -
nas fheàrr na fàinne òir.

Tha tòrr gaoil agam air mo mhàthair,
le falt curlach donn:
tha gàire shòlasach, mhòr aice -
's e gàire shnog a th' ann.

Is toil leamsa mo theaghlach.
Tha iad an-còmhnaidh snog.
Tha mamaidh agus dadaidh agam
is bràthair beag òg.

I like my family
they are always nice.
I have a mum and a dad
and a wee young brother.

My brother Calum
is so wee and lovely and young:
sometimes we fight
but make up with a kiss.

My father is tall and fair:
I like him very much.
he's always happy -
he's nicer than a gold ring.

I love my mother very much,
with her brown curly hair:
she has a big happy smile -
it's a lovely smile.

I like my family:
they are always nice.
I have a mummy and a daddy
and a wee young brother

Is toil leam a bhith a' danns
I like dancing

Niamh Shaw-Moir
(dealbh le Niamh & Katherine Grant)

Is toil leam a bhith a' danns
ann an leotard purpaidh
le pumpaichean pionc
agus m' fhalt shuas gu h-àrd
na gàirdeanan agam a' sìneadh
cho saor ris an athar.

Is toil leam a bhith a' danns
ann an unitard dubh
le jazz trainers gorm
m' fhalt ann am figheachan Frangach
agus mo cheann a' gluasad ri ceòl funky
cho cool ri loilidh reòite.

Is toil leam a bhith a' danns
ann am briogais dhubh
le brògan-tap fuaimneach
agus m' fhalt ann am pony-tail
's mo chasan a' gliogadaich
le ruithim agus luaths.

I like dancing
in a purple leotard
with pink pumps
my hair up
and my arms stretched out
as free as air.

I like dancing
in a black unitard
with blue jazz trainers
my hair up in a French roll,
and my head swaying to funky music
as cool as an ice-lolly.

I like dancing
in black trousers
with noisy tap-shoes
my hair in a pony-tail
and my feet clickety clacking
fast and rhythmic.

An cogadh
The War

John Riddell & Ryan McCrae
(dealbh le Lewis Stephen & Iain Daniels)

Bomaichean a' sgèith,
daoine a' bàsachadh,
riaghaltasan ag innse bhreugan,
saighdearan le gunnaichean,
daoine brònach.

Bombs flying,
people dying,
governments telling lies,
soldiers with guns,
people full of sorrow.

Ceudan a' sgriachail,
mìltean a' sabaid,
fuil air an làr,
corpan marbh.

Hundreds crying out,
thousands fighting,
blood on the ground,
dead bodies.

brag! spreadhadh!
teine san athar,
lasairean daithte,
plèan eile a' dol sìos.

Crash! Explosion!
Flames in the air,
coloured sparks,
another plane goes down.

Rùchdail neònach,
gluasad mar boiteag,
slaodach,
salach uaine
tanca mhòr bhrùideil.

Strange rumbling,
moving wormlike,
inch by inch,
great brutish
dirty green tank.

Am bràthair agam
My Brother

Kirsten Binnie
(dealbh le Fiona MacLennan)

Is toil lem bhràthair
hair gel:
bidh e ga dhèanamh
spiky.

My brother likes
hair gel:
it makes him
spiky.

Is toil lem bhràthair
after-shave:
bidh e ga dhèanamh
cùbhraidh.

My brother likes
after-shave:
it makes him
fragrant.

Is toil lem bhràthair
geamaichean coimpiutair:
bidh iad ga dhèanamh
toilichte.

My brother likes
computer games:
they make him
happy.

Is toil lem bhràthair
na Red Hot Chilli
Peppers:
bidh iad a' toirt air
seinn.

My brother likes
the Red Hot Chilli
Peppers:
they make him
sing.

Is toil lem bhràthair
snàmh:
bidh e splaiseadh
gu mòr.

My brother likes
swimming:
he makes a huge
splash.

Is toil lem bhràthair
pìobaireachd:
bidh e a' dèanamh tòrr
fuaim!

My brother likes
piping:
he makes a huge
noise!

Mo leabhar-dhealbh
my photograph album

Munro Moffat

Cameron	Cameron
dealbhadair	photographer
dealbhan math	great pictures
dealbhan mo theaghlaich	pictures of my family
dealbhan mo chait	pictures of my cat
dealbhan nan àiteachan snog san t-saoghal	pictures of the nice places in the world
san leabhar-dhealbh dealbh de gach aon.	in the photograph album pictures of them all.
Cuimhneachan	Memories
cuimhneachan Smudge	memories of Smudge
an cat a b' àbhaist	the cat I used
a bhith agam	to have
is m' Antaidh a bhàsaich	and my Auntie who died
bliadhnachan air ais	years ago
cuimheachan toilichte	happy memories
cuimhneachan tàmailteach	horrible memories
an leabhar-dhealbh làn dhiubh.	the photograph album full of them

Mo cheithir pàrantan
My parents

Sandy Reid
(dealbh le Jack Hughes)

Mo Dhadaidh mòr
mo Dhadaidh còir:
mo Dhadaidh cho math ri pìos de dh'òr.
Mo Mhamaidh bheag
falt dorcha dubh:
bidh i daonnan anns a' bhùth.

Mo leas-mhàthair èibhinn
mo leas-mhàthair shnog:
mo leas-mhàthair a' coimhead uabhasach òg.
Mo leas-athair mòr,
mo leas-athair èibhinn,
daonnan san taigh-bheag a' seubhadh!

My big Daddy
my kind Daddy:
my Daddy as good as a piece of gold.
My wee Mummy
dark black hair:
she's always in the shops.

My funny step-mum,
my nice step-mum,
my step-mum who looks extremely young.
My big step-dad,
my funny step-dad,
always in the bathroom shaving!

Molly
Molly

Ellen Aitken
(dealbh le Calum Robertson)

Molly glic agus sona.	Molly wise and happy.
Molly geal agus ruadh.	Molly white and brown.
Molly beag agus brèagha.	Molly little and lovely.
Molly dà bhliadhna a dh'aois.	Molly two years old.
Molly tha i sgoinneil	Molly she's fantastic.
Molly an cù agam.	Molly my dog.

Mo phiuthar (haiku)
my sister

Sarah Mackinnon
(dealbh le Ellen Aitken)

Tha aon phiuthar agam, ach tha e faireachdainn mar dhà:
aon phiuthar a tha uabhasach
aon phiuthar a tha math!

I have one sister but it feels like I have two:
one sister who is terrible,
one sister who is good!

Ceòl an t-saoghail
World music

Megan Moore

Gabhail òrain
bhrònach
thoilichte
ceòl an t-saoghail.

Singing songs
sad
glad
music of the world.

òrain fhuath
òrain ghaoil
òrain fhaoin
ceòl an t-saoghail.

Songs of hatred
songs of love
light-hearted songs
the music of the world.

Ceòl an Afraga,
sa Ghearmailt, san Fhraing,
cànainean diofaraichte
ag ràdh an aon rud.
a' seinn le aon ghuth
ceòl an t-saoghail.

Music in Africa,
Germany, France,
different languages
saying the same thing
singing with one voice
the music of the world.

Fàinne òir
Ring of gold

Iona Ballantyne
(dealbh le Iona)

Beag, òr agus brèagha,
flùraichean snog le cridhe,
preasant Nollaig bhom athair gràdhach,
fàinne bheag phrìseil.

Bha mi deich nuair chuir mi i,
beag agus snog, air mo làimh chlì
agus nam chridhe gu sàbhailt,
m' fhàinne bheag phrìseil.

Small, gold and beautiful,
pretty flowers and a heart,
a Christmas present from my beloved father,
a precious little ring.

I was ten when I put it,
small and sweet, onto my left hand
and safe into my heart –
my precious little ring.

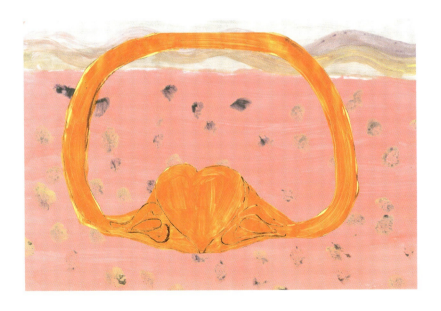

Mo charaidean
My friends

Merrin Wrigh
(dealbh le Jacqueline Wann

Tha tòrr charaidean agam,
beag agus àrd agus tana.
Tha feadhainn ann le sùilean gorm
is feadhainn le sùilean donna.

Bidh feadhainn a' cluich leam san sgoil,
cluichidh mi le feadhainn a-muigh:
cluichidh mi le feadhainn sa phàirc,
cluichidh mi leotha nam thaigh.

Tha na caraidean agam snog,
tha na caraidean agam laghach.
Tha feadhainn dhiubh uabhasach èibhinn,
tha feadhainn dhiubh cho gòrach.

Tha tòrr charaidean agam
ann am Prìomhaire seachd is sia,
agus mun robh na caraidean agam
chan eil fhios agam dè dhèanainn.

I have loads of friends,
small and tall and thin.
Some of them have blue eyes
and some of them have brown.

Some play with me at school,
I play with some of them outside:
I play with some in the park,
I play with some at home.

My friends are nice,
my friends are lovely.
Some are very funny,
and some are pure daft.

I have loads of friends
in Primary Six / Seven,
and if I didn't have them
I don't know what I'd do.

Mo charaidean
My friends

Samantha Selfridge
(dealbh le Frazer Stewart)

Tè tha brèagha, beag, èibhinn,
le sùilean gorm agus uaine,
còir, laghach,
agus coibhneil.

Tèile tha àrd, èasgaidh, snog,
le falt bàn agus donn,
math air spòrs, tana,
sùilean gorma.

Agus tèile a tha beag, 'cute', caol,
falt donn agus bàn,
sùilean gorma,
uabhasach laghach agus còir.

An triùir aca na caraidean as fheàrr agam:
chan eil fhios agam dè dhèanainn mur an robh iad ann.

One who is pretty, little, funny,
with blue-green eyes,
friendly, nice,
and kind.

Another who is tall, clever, nice,
with fair-brown hair,
good at sports,
blue-eyed.

And yet another who is wee, cute, skinny,
with brown-fair hair,
blue eyes,
very nice and kind.

These three are my best friends:
I don't know what I'd do
without them.

Mo charaid
My friend

Lewis Stephen
(dealbh le Iona Ballantyne)

Tha thu beag,
tha thu seòlta,
tha thu fuireach
sa bhàthaich.

Bidh daoine smaointinn
gur e peasan a th' annad,
ach tha mise smaointinn
gur e caraid a th' annad.

'S e beatha chunnartach a th' agad –
an tuathanach le ribe 's cait,
ach tha fhios agamsa gum bi thu sàbhailte,
oir 's e luchag ghlic a th' annad.

You are wee,
you are cunning,
you live
in the barn.

People think
of you as a pest,
but I think
of you as a friend.

Yours is a dangerous life –
the farmer with his traps and cats
but I know you'll stay safe,
for you are a wise wee mouse.

An caraid as fheàrr leam
My best friend

Eilidh NicIllinnein
(dealbh le Iseabail Laennec)

Sròn bheag	Little nose
sùilean donna	brown eyes
làn rùintean diamhair	full of secrets
an-còmhnaidh gam èisteachd,	always listening to me,
gun idir a' trod:	never falling out:
làn phògan milis, comhairle mhath	full of kisses, good advice
agus	and
càirdeis a h-uile oidhche.	friendship every night.
Cò i?	Who could she be?
Pinky, mo theadaidh!	Pinky, my teddy!

Mo Leabaidh
My bed

Carwyn Walker
(dealbh le Samuel Stephen)

A bheil fhios agad dè tha san leabaidh agamsa?

Dèideagan mòra agus dèideagan beaga,
teadaidh bog mollach a thuiteas a-mach air an làr,
PS2 spòrsail,
jigsaw nach do chrìochnaich mi,
pacaid chriospaichean,
tòrr bhriosgaidean,
suiteis gu leòr,
pizza mòr,

Can you guess what's in my bed?

Big toys and wee toys,
a cuddly furry teddy who's always falling out on the floor,
a fun PS2,
a jigsaw I never finished,
a packet of crisps,
lots of biscuits,
loads of sweeties,
a big pizza,

O, agus aon rud eile
nach tuirt mi mar thà -
a bheil fhios agad dè th' ann?

'S e mi-fhìn a th' ann!

Oh, and one other thing
that I forgot to mention -
can you guess what it is?

It's me!

Disneyland Paris
Disneyland Paris

Kirstin MacDougall
(dealbh le Jason Gillespie)

Caistealan mòra gorm
le Cinderella nam broinn:
a' faighinn tòrr spòrs,
a' dannsa le tòrr chloinn.

Big blue castles
with Cinderella inside:
lots of fun,
dancing with lots of children.

Is toil leam Sleeping Beauty.
Tha i brèagha, bòidheach.
Tha i math air dannsa
agus tha i coibhneil, còir.

I like Sleeping Beauty.
She's lovely, beautiful.
She's a good dancer,
and she's kind and friendly.

Caismeachd mhòr dhaithte
le Mionaidh 's Miogaidh Luch.
Disneyland, Paris -
an do chòrd e riut?

A big colourful parade
with Minnie and Mickey Mouse
Disneyland, Paris -
did you enjoy it?

Chòrd!!!!

Yeah!!!!

Pasta
Pasta

Eilidh Grant
(dealbh le Kirsten Binnie)

is toil leam pasta	I like pasta
tha e blasta	it's so tasty
am biadh as fheàrr	the best food
am biadh as fheàrr	the best food
pasta shells	pasta shells
pasta twirls	pasta twirls
am biadh as fheàrr	the best food
mar thuirt mi mar thà	as I already said

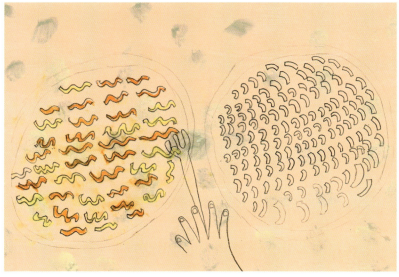

sabhs le càise	cheese sauce
sabhs tamàta	tomato sauce
's e as fheàrr leam	my favourite
's e as fheàrr leam	my favourite
pasta beag	big-sized pasta
is pasta mòr	and small-sized pasta
pasta bows	pasta bows
is macaroni	and macaroni
's toil leam pasta	I like pasta
tha e blasta	it's so tasty
am biadh as fheàrr	the best food
mar thuirt mi mur thà	as I already said

Max agus Misty
Max and Misty

Eilidh NicFhionghain
(dealbh le Charlotte & Eilidh)

Tha Antaidh Brenda meadhanach mòr:
tha i snog is tha i còir.
Tha Uncall Ron èibhinn, àrd -
bidh e tric ri fealla-dhà.

'S e Max an cù aig Antaidh Brenda:
bidh e cur a cheann trom ghàirdean -
tha e èibhinn agus càirdeil.

'S e Misty an cù aig Uncall Ron:
bidh i a' cluich le dèideagan
's a' ruith mu chuairt gu luath.

My Auntie Brenda's middling sized:
she's very nice and kind.
My Uncle Ron is tall and funny
always telling jokes.

Max is my Auntie Brenda's dog:
he puts his head through my arms -
he's lovely and friendly.

Misty is Uncle Ron's dog:
she plays with her toys
and runs around very fast.

Teoclaid
Chocolate

Charlotte Simpson
(dealbh le Julie MacDonald)

Teoclaid mhilis
teoclaid mhath:

Sweet chocolate
delicious chocolate:

pacaidean beaga
pacaidean mòra
air sgeilp sa bhùth
lem ainm orra:
teoclaid na mo phòcaid.

little packets
big packets
on a shelf in the shop
with my name on them:
chocolate in my pocket.

Teoclaid chofaidh - tha e donn;
teoclaid mheannt, pìosan uaine ann;
teoclaid shùbh-làir, stuth dearg ann;
hazelnut le cnothan ann.

Coffee chocolate is brown:
mint chocolate has green bits in it:
strawberry chocolate has red stuff in it;
hazelnut has nuts in it.

Teoclaid aig an taigh,
teoclaid san sgoil,
teoclaid an-sin,
teoclaid an-seo.

Chocolate at home,
chocolate in school,
chocolate here,
chocolate there.

Fàileadh math,
fàileadh brèagha,
cho math 's gum bi thu
'g iarraidh
ithe!

Yummy smell,
lovely smell,
so good it makes you
want to
eat it!

Mo mhamaidh
My mum

Ailsa Wright

A' dèanamh m' fhalt a h-uile madainn,
gam thoirt gu àiteachan gach deireadh sheachdainn,
a' dèanamh dhomh biadh am meadhan an latha:
is toil leam mo mhamaidh, is toil leam mo mhamaidh.

A' dèanamh mo thè nuair thig mi dhachaigh bhon sgoil,
a' ceannach dhomh aodach is ceòl:
is toil leam mo mhamaidh, tha i uabhasach snog,
is aig deireadh an latha bheir i dhomh pòg.

Doing my hair every morning,
taking me to places every weekend,
making me food in the middle of the day:
I like my mum, I like my mum.

Making my tea when I come home from school,
buying me clothes and music:
I like my mum, she's awfully nice,
and at the end of each day she gives me a kiss.